DEBI GL

Je t'aime toujours, quoi qu'il arrive...

Tu ★ me ★ lis ★ une ★ histoire ?

Gautier Languereau
3-6 ans

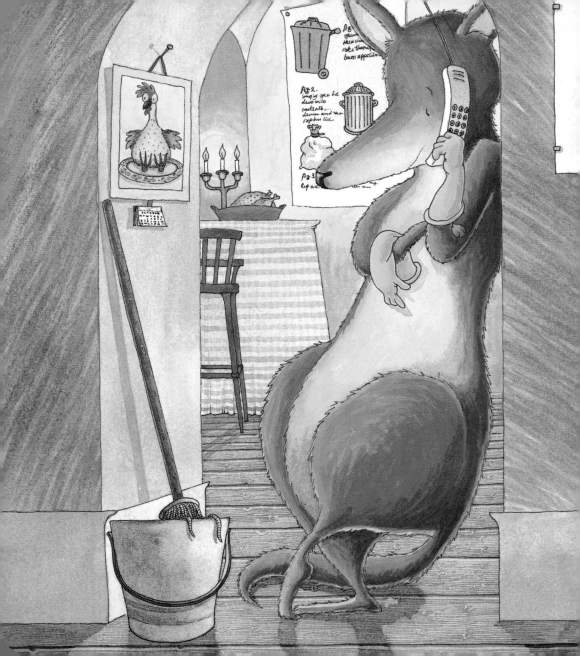

Petit Renard est de très,
très mauvaise humeur.

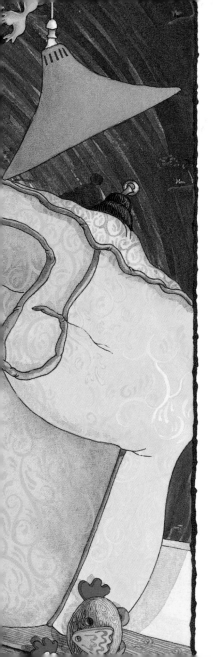

Il lance sa poule,
Bam ! Bing !
renverse les meubles,
Oh, hisse !
et Vlan !

Il râle, grogne, hurle :
« Bouh ! »
Il casse, cogne, tape
et Splash !…

«Ouh! là! là! s'écrie Maman.
Mais qu'est-ce qui t'arrive?
– Je suis un vilain petit renard
de très mauvaise humeur,

et personne,

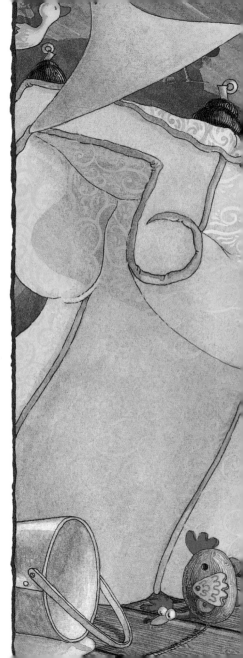

personne ne m'aime.

– Oh ! dit Maman,
vilain ou non,
je t'aimerai toujours,
quoi qu'il arrive.

– Et si j'étais **un ours,**
m'aimerais-tu, Maman?
T'occuperais-tu de moi comme avant?

– Bien sûr, répond Maman.
Ours ou non,
je t'aimerai toujours,
quoi qu'il arrive.

– Et si je devenais mouche, ou bien hanneton,

m'aimerais-tu encore, et **toujours** aussi fort ?

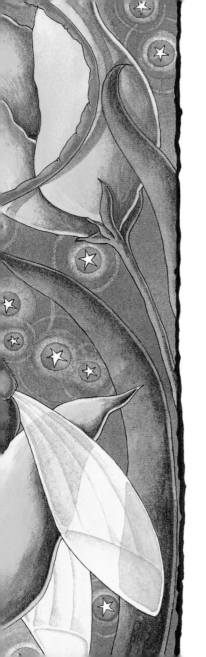

– Bien sûr, répond Maman,
hanneton ou non,
je t'aimerai toujours,
quoi qu'il arrive.

– Quoi qu'il arrive ?
dit Petit Renard en souriant.

Et si j'étais un…
crocodile ?

– Oh, ça alors ! s'écrie **Maman**.
Crocodile ou alligator,
tu seras toujours
mon petit
que j'adore ! »

Petit Renard demande encore :
« **Et si** l'amour s'abîme,
se casse ou se déchire,
pourrais-tu **le recoudre,**
le recoller, le réparer ?

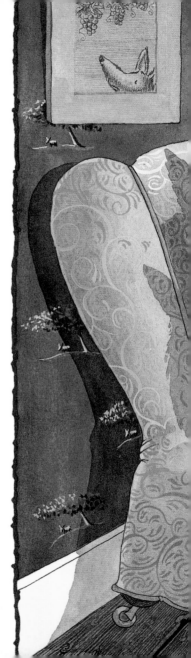

– Ouh ! là ! là ! dit Maman,
tu m'en demandes trop !
Je sais juste que
je t'aimerai toujours.

– **Mais**, que se passerait-il
si j'étais loin de toi?

M'aimerais-tu **encore**,
penserais-tu à moi?»

Alors Maman prend
Petit Renard dans ses bras.
« Regarde, chante-t-elle,
comme les étoiles brillent.
Pourtant certaines sont mortes
il y a longtemps déjà.
Mais elles éclairent encore le ciel, chaque nuit.

Écoute ma chanson, l'amour ne meurt jamais.
Quoi qu'il arrive, je t'aimerai...»

Tu ★ me ★ lis ★

La petite collection de

1. *Je t'aimerai toujours quoi qu'il arrive*

2. *Il y a une maison dans ma maman*

3. *La véritable histoire de la Petite Souris*

4. *La véritable histoire du Marchand de Sable*

5. *Grodoudou & Moi*

6. *L'heure du bisou*

une ★ histoire ?

poche des 3-6 ans

7. *Nous t'aimerons
toujours, Petit-Ours !*

8. *Au dodo,
mon Roudoudou*

9. *D'abord, il arrive
d'où ce bébé?*

10. *Encore un petit câlin?*

11. *Le Bonheur, c'est un
peu de miel*

12. *Moi, je boude*

Adaptation française de Marie-France Floury

Publié pour la première fois à Londres
par Bloomsbury Publishing PLc, Londres,
sous le titre : *No Matter What*.
© 1999 Debi Gliori pour le texte et les illustrations.
Tous droits réservés.
© 1999, Hachette Livre / Gautier-Languereau pour la première édition.
© 2014, Gautier-Languereau / Hachette Livre pour la présente édition.
58, rue Jean Bleuzen – 92178 Vanves Cedex
ISBN : 978-2-01-394476-2 – Dépôt légal : mars 2014 – édition 17
Achevé d'imprimer en avril 2021.
Loi n° 49-956 du 16 juillet 1949 sur les publications destinées à la jeunesse.
Imprimé par Estella Graficas en Espagne.

PAPIER À BASE DE
FIBRES CERTIFIÉES

s'engage pour l'environnement
en réduisant l'empreinte carbone
de ses livres.
Celle de cet exemplaire est de :
250 g éq. CO₂
Rendez-vous sur
www.gautier-languereau-durable.fr